水資源・環境学会『環境問題の現場を歩く』シリーズ❻

石垣島白保集落と 霞ヶ浦を歩く

三輪信哉・淺野敏久［著］

成 文 堂

はしがき
── 『石垣島白保集落と霞ヶ浦を歩く』刊行に寄せて ──

　昨年、水資源・環境学会設立40周年を記念して始まった水資源・環境学会ブックレット『環境問題の現場を歩く』の第6弾の舞台は、沖縄県・石垣島と茨城県・霞ヶ浦である。

　第1部の舞台は石垣島である。1972年の「本土復帰」を経て、石垣島を中心とする八重山諸島にも観光客が増え始めた。また、八重山でとれた魚介類や果物を本土大都市に直接空輸するという経済振興も強く期待されるようになった。そのなかで、途中で燃料補給の必要がない大型機の就航が求められ、それを可能にする空港の建設が切望された。その当時、石垣島には1500mの滑走路を持つ県営石垣空港が島の南側の内陸部・平得集落に隣接する形であった。だが騒音と危険性の観点から、学校上空の飛行停止の要請とジェット化反対の声が地元から示され、空港の早期移転が望まれていた。

　こうしたなかで沖縄県は新空港の建設計画を検討し、白保地区の沖合2,500mの海上に空港を建設することを決定した。以来30年に及ぶ、新空港建設問題の始まりである。空港建設予定地は、豊かなサンゴ礁、イノーが広がる海域だった。1980年には「新石垣空港建設阻止委員会（阻止委）」が結成されて建設反対の声が組織化される一方、翌81年には「新石垣空港建設白保地区有志会」が結成されるなど、住民間でも賛成・反対の対立が生じた。1984年には、白保公民館（公民館の意味は、沖縄では本土と異なる。詳しくは本編参照）が分裂してしまう。

　以後の詳細を記すことは控えるが、重要なのは新空港建設問題のなかで人々に「再発見」されたサンゴ礁、イノーの意味である。白保地先には、南北約10km、最大幅約1kmにわたるサンゴ礁が存在する。北半球最大とされるアオサンゴ群を含め、120種以上のサンゴ礁群は、実は、世界レベルの生態的価値をもつ「里海」だった。

　だが、その「里海」は白保の人々にとっては、「そこにあるのが当たり前」

の風景・資源だった。それが新空港建設という形で喪失の危機に瀕するなか
で、その意味が「再発見」されていくのである。世界レベルの環境的価値
に、国際的なNPO等が科学的な関心を寄せた。そうしたなかで、遂に1987
年8月に環境庁（当時）は沖縄県に計画の変更を求めた。そうして1989年、
沖縄県は白保埋め立て案を撤回することになった。最終的な空港予定地が決
まったのが2000年4月、そして2013年に石垣島新空港が開港するのである。

　空港問題のなかで人々がイノーの価値を「再発見」するという「気づき」
の過程で、ウチとソトをつなぐ役割を果たしたのが、しらほサンゴ村であ
る。その取り組みが、どのようにして地域のなかで受け入れられていったの
か。本編（第1部「石垣島白保集落を歩く」、三輪信哉著）をご覧いただきたい。

　第2部の舞台は、霞ヶ浦である。第2部は、西浦、北浦、常陸利根川（外
浪逆浦を含む）から成る霞ヶ浦を、バーチャルサイクリングしながら、その
環境問題を振り返る形である。霞ヶ浦では、1963年に常陸川水門（逆水門）
が建設された。同水門は、1940〜50年代に頻発した海水の逆流による塩害と
洪水への対策として建設されたものだが、その後の水資源開発を視野に入れ
たものと言われていた。実際、5年後の1968年、水資源開発事業として霞ヶ
浦開発事業が始まる。

　霞ヶ浦開発事業というのは、常陸川水門の操作と湖岸地の強化・かさ上げ
により、湖の総貯水量12.53億立方メートル、有効貯水量6.17億立方メートル
を開発し、茨城県、千葉県、東京都への都市用水と農業用水の供給、および
洪水貯留を目的とする総合開発である。霞ヶ浦のダム化／水ガメ化が進行す
るなかで、「1973年の異変」とよばれる出来事が起こった。春から夏にかけ
てシジミの大量死、養殖コイの斃死、アオコの大量発生、水道水のカビ臭や
湖からの悪臭などである。

　十分に汚水処理されないまま流入した生活排水、畜産排水やハス田からの
肥料等の流入など、霞ヶ浦には微生物にとって栄養になるものも大量に流入
していた。それが異変に繋がったのは、1973年に常陸川水門の完全閉鎖が決
まったからである。それまで常陸利根川から太平洋に流れていた栄養塩類
は、霞ヶ浦に滞留して富栄養化を引き起こし、プランクトンの大発生をもた
らしてしまったのである。

霞ヶ浦の環境悪化が一気に顕在化するなかで、都市住民も飲み水の安全と湖の環境を守る運動に立ち上がった。「土浦の自然を守る会」や「霞ヶ浦をよくする市民連絡会議」などの市民団体がその中心であるが、これらの団体は、湖を汚す責任の一端は住民にもあると考え、自分たちの生活を見直す運動も推し進めた。粉石けん運動や「市民の手による水質調査」など、自分たちで自らの環境を知り、何をすべきかを自ら考えて行動することを志向する運動だったことが特徴である。

　霞ヶ浦総合開発を問題視する住民運動からは、アサザ基金も誕生した。同基金が展開するアサザプロジェクトは、100年後にトキが棲息できる自然の再生をめざし、まずはその一歩として、アサザに焦点をあてた水辺の植生復元を試みたプロジェクトである。小学生らによるアサザ苗の育成や学校ビオトープの建設、粗朶沈床（そだちんしょう、本編参照）の作製・設置など、流域内の人やモノ、場所を広く有機的に結びつけることを意識した事業が行われている。

　本編（第2部「霞ヶ浦を歩く」、淺野敏久著）では、これらの舞台となったサイクリングロード、ハス田、コイ養殖施設の「いま」も詳述されている。本編では、これらのほかに自然再生事業地、霞ヶ浦環境科学センター、葦舟世界大会などが掲載され、霞ヶ浦の環境問題が概観できる構成になっている。

　2024年7月
　水資源・環境学会『環境問題の現場を歩く』シリーズ刊行委員会

目　次

はしがき　i

Ⅰ　石垣島白保集落を歩く ……………………………三輪信哉　1

　1．沖縄の海 ………………………………………………… 1
　2．石垣島へ、白保へ ……………………………………… 2
　3．白保集落の苦難の歴史：新空港建設問題 …………… 8
　4．サンゴ礁保護と持続可能な集落形成 ………………… 13
　5．おわりに ………………………………………………… 17

Ⅱ　霞ケ浦を歩く ………………………………………淺野敏久　23

　1．霞ヶ浦を訪れる ………………………………………… 23
　2．アオコの思い出 ………………………………………… 25
　3．富栄養化問題と霞ヶ浦水ガメ化 ……………………… 28
　4．湖岸で見られる環境論争の跡 ………………………… 31
　5．「葦舟世界大会」 ……………………………………… 44
　6．霞ヶ浦の環境問題の移りかわり ……………………… 48

Ⅰ

石垣島白保集落を歩く

三輪信哉

1．沖縄の海

　竜宮城の話は沖縄の海を知るものが生み出したのではないだろうか。そう言いたくなるくらい、石垣島を中心とする多くの離島からなる八重山の海は美しい。サンゴが砕けた星砂の混じる砂浜。そこから遠くに広がるサンゴ礁の浅瀬（礁池、イノー）。潮が引くと現れるサンゴの上を歩いて、ところどころにある深みをのぞき込むと、そこは自然のアクアリウム、色とりどりの魚が舞う。遠くを見ながら浜辺でゆっくりと過ぎる時間を楽しんだり、満ちてきた海の世界をスノーケルを使って泳ぐ。

　沖縄県の八重山諸島の石垣島、その石垣島の南東部に白保集落がある。

　ご記憶にある方もあるかもしれないが、今から40年ほど前、白保集落地先のサンゴ礁が新空港の建設によって埋め立てられようとした。開発と保全を巡って激しい住民運動が展開した場所である。今は内陸部に新空港が建設され、そうした困難の歴史は文書と記憶に残るのみで、集落や浜辺を歩くとき、そのような歴史を思い出させるものは何もない。

　私は縁あって今から50年ほど前から八重山諸島で調査をする機会を得、30代前後は10年ほど、琉球大学に奉職した。調査の傍ら、再々、海で泳いでは疲れを癒していた。その当時は新空港建設問題に関わることもなかったが、その歴史の中から、ひとと自然の関わりを深めてみたいと思うようになった。

　白保の人々はどのようにその困難な事態を越えてきたか、危機を乗り越

るときに人々とサンゴ礁の関係はどのように変化してきたか、その過程は私たちに何を教えてくれているのか。人とサンゴ礁が一つとなり、人はサンゴ礁によって生かされ、サンゴ礁は人によって護られる。危機を通じてそうした世界が立ち現れてきた。人々とサンゴ礁の新たな関わりが生まれる。その関わりを築き上げてきた人々の思いと努力、それを描いてみたい。

2．石垣島へ、白保へ

　関西空港から石垣行きの直行便で2時間50分（羽田から3時間30分、那覇から45分）、新石垣空港に着く。石垣島は面積229km²で、車で3、4時間で一周できる。中央北寄りには標高526mの於茂登岳がある。西表島、竹富島、小浜島、黒島、波照間島など12の有人島からなる八重山諸島の中心の島である。

　島に近づくと上空からは、緑濃い山域と赤茶けた農地、そしてところどころに集落が点在しているのが見える。島の周囲は白く縁どられたエメラルドグリーンの浅い海が取り巻いている（写真1）。

　2013年にできた新石垣空港の年間の乗降客数は242万人（1日6600人、2022年度）。成田、羽田、関西、中部、福岡、那覇と大都市圏を結び、また宮古、与那国、波照間と離島とも結ぶ、多くの人が利用する活気ある空港である（写真2、3）。

　市街地は石垣島南部に広がる。そこには八重山の島々を定期船やフェリーで結ぶ石垣港離島ターミナルがあり、頻繁に周辺の離島に人や物資を運ぶ（図1、写真4）。

　観光ホテルの建設が相次ぎ移住者も増え、一島一市の石垣島の人口は2023年7月には5万人を突破した。

写真1　石垣島南東上空から北を望む
注）写真左下に見える集落が白保集落。少し上の内陸に新石垣空港が見える
出典）筆者撮影（2024年2月18日）、以下同じ

I　石垣島白保集落を歩く　3

写真2　空港から於茂登岳を望む

写真3　新石垣空港ロビー

観光を中心に、サトウキビや果樹、漁業と、コロナの時期を越えて今は活気が戻ってきている。

サンゴ礁保護研究センター「しらほサンゴ村」に向かう。

市街地にあるバスターミナルから一時間に2本、空港に向けてバスが出る。途中、海岸に沿って平得、大浜、磯辺、宮良などの集落を通過して、30分ほどして島の南東に位置する人口1600人ほどの白保集落に至る。白保小学校前で下車する（写真5）。

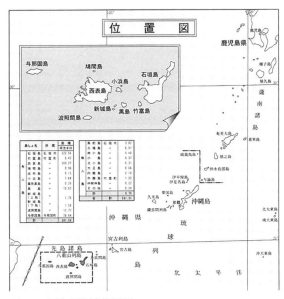

図1　八重山地域位置図
出典）沖縄県「八重山地域の概要」
https://www.pref.okinawa.lg.jp/shigoto/shinkooroshi/1011448/1024245/1011460/1024372/1010571.html

写真4　石垣港離島ターミナル

写真5　白保小学校

写真6　赤瓦の家

写真7　屋敷周囲の石垣の塀とフクギの防風林

　台風に耐えるよう、屋根には赤瓦を2枚重ね、サンゴを焼いて作った白い漆喰で固める（写真6）。防風、防火のためにフクギの屋敷林が囲み、またサンゴの石を積み重ねて作った石垣が家を守る（写真7）。敷地の中は雨が降っても水がたまらないよう、サンゴの砂や小石が敷き詰めてある。海からとってきたサンゴが人々を災害から守り、生活を快適にしてくれる。

　「サンゴ村」を探す。緑が覆うコントラスト強い日陰の下を歩いているうちに、途中道がわからなくなってしまった。通りかかった車を運転していた男性に場所を聞く。聞いて分かったつもりで歩いている私を心配してか、曲がり角で待ってくれていて、この先だと教えてくれる。どこにいても感じる

Ⅰ　石垣島白保集落を歩く　5

写真8　しらほサンゴ村、外観

写真9　しらほサンゴ村、中庭と回廊

写真10　日曜市、芭蕉布を紡いで作った織物

写真11　日曜市、早朝にサンゴ礁でとれた色とりどりの魚

ことのできるゆったりとした時間と人々の心のやさしさ。
　ようやくたどり着いた「しらほサンゴ村」の建物に入ると、中庭を取り巻く回廊で、ちょうど日曜市が行われていた（写真8、9）。白保の方々が白保でとれるものを使って手を加え、販売している。糸芭蕉の繊維を染めて作った小物、地元の陶芸、早朝に釣り上げた色とりどりの魚、月桃の葉で包んだジューシー（炊き込みご飯）など、聞くことが楽しく、話すことが楽しく、ひとつひとつの説明にこころ通わせながら買っていく（写真10、11、12）。
　一段落したところで、「しらほサンゴ村」の運営について、運営するNPO法人夏花（なつぱな）の専従職員の方にお話をうかがう。

写真12　日曜市、地元の野菜や小物

写真13　館内の展示、海と村の関わり

写真14　白保の海、集落を護る海岸林

写真15　白保の海、引き潮で礁原が現れる

　「しらほサンゴ村」の建物は、WWFジャパンが2000年にサンゴ礁の保護・研究のために建設したもので、その後、研究、運営をWWFJが担ってきた（写真14、15）。2021年よりは地元の人々によってつくられたNPO法人夏花が管理、運営をしている。この施設が、白保のサンゴ礁保全に果たしてきた役割と地域社会との関わり、そして未来について聞かせていただいた。その内容は後述する。

　午後１時ごろ、日曜市も終わり、集落を散策した。しらほサンゴ村を出て海岸に向かう。白保の集落を守るかのように南北に護岸が走り、その護岸の姿も見えないほどに、うっそうとした海岸林の緑が集落を囲み、海から集落

を守っている（写真14）。

　護岸を越えて海にでた。サンゴが砕けてできた砂浜に、サンゴ石や貝殻が点在する。海のかなたを眺めながら時を過ごししている人があちこちに座っている。気が付けば静寂な村の中と打って変わって、絶えずゴーと音が聞こえてくる。何だろう。

写真16　御嶽（うたき）

　目を海のかなたに向ける。様々なサンゴが群落をつくっている浅くて静かな礁池（イノー）。その先に干潮時には姿を現す礁原（ピー）（写真15）。その礁原の端まで1キロメートルほどで、そこから一気に深度を増す。礁原のその向こうは外洋である。浜辺に並行して見える礁源の縁は白く波が立っている。それがあのゴーという音を発しているのだ。

　石垣島を通過する台風の威力は本土では考えられないほど強く時間も長い。その中で、この礁原の縁が自然の防波堤となり、海岸林、そして各家の防風林と、二重三重に人々の生活を守っている。

　夕方になると、昼間の農作業を終えたゴム草履を履いたお婆たちが、潮の引いたイノーのあちこちに身を屈めて何かを採りながら歩いている。夕食の汁に入れるアーサ、貝や小魚。浜辺では一日の暑さも引いて、海を渡る温かく優しい風とともに、三線の音が心地よく流れてくる。

　浜辺をあとに再度集落に入る。白保集落には4か所ほど拝所・御嶽（うたき）がある。鳥居があり、うっそうとした森の中に、コンクリートの遥拝所がある（写真16）。もとは鳥居も遥拝のための施設もなく、うっそうとした森と空間だけだったという。神のおわす場、祈りの場、神聖な空間に足を踏み入れてはいけない。それぞれにいわれがある。

　その一つ、波照間御嶽。石垣島を襲った大津波の歴史を語る御嶽でもある。

　白保村は1600年以前からその地にあった。1713年には八重山諸島の南端の

写真17　真謝井戸

波照間島（日本の最南端の有人島）から300人程の百姓を入れて独立村となった。その後、1771年（明和8年）、八重山諸島近海を震源とする大津波が襲い、この大津波で1574名の村人が亡くなり、わずか28名が生存するという大悲痛事が起きた。波照間島から418人を再移入させて村を復興してきた。

　　大津波で一旦埋もれてしまったウリカー（下り井戸、石の階段を下りて水を汲む共同井戸）である真謝井戸（マジャンガー）が今も大事に保存され、今なお井戸の神に対する信仰は丁重を極めているという（写真17）。

　村のルーツにかかわる拝所があり、村の繁栄を神司が祈願する。また命の源である井戸に向けて、水の神に祈りささげ、踊りや供物を捧げていく。

　夜になると三線の音色や八重山民謡の歌声があちこちから聞こえ、夏の豊年祭では芸能が演じられ、海神祭や獅子舞などの行事がほぼ年間を通じて開催される。今も伝統文化が生きた営みとして世代を超えて伝承されていく。形骸化した史跡ではなく、村の様々な苦悲や歓喜の歴史は厚い地層となって、今なお過去と交流し、未来の幸せを祈る、そうした場所を持ちながら村は次世代に受け継がれていく。

　八重山の珊瑚の海。そして集落、集落の史跡。それは人々の生きる場であり、癒しの場、そして祈りの場でもある。鉛直護岸に埋立て造成された工場地、ドス黒い都会の海しか見たことのない私にとって、そこは人も含めて輝くばかりの命の場そのものであった。

3．白保集落の苦難の歴史：新空港建設問題

　今から45年前、1979年7月、白保のサンゴ礁、イノーを埋め立てて新空港を作るという案が突然降ってきた。穏やかな白保の集落は一気に嵐の中に叩

き込まれた。1980年代から30年ちかく、新空港開発の歴史の中で翻弄され、その賛成・反対を巡っては、家族の間でも意見がわかれ、集落の中でも対立し、苦渋の時を経てきたのである。建設地を巡っての苦しくて重いさまざまな意見対立。紆余曲折を経て、2013年に新石垣空港が開港した。その経緯を述べてみたい。

　八重山郡全体では、1972年5月の本土復帰前後から人口が減少しつつあった。離島から子供が高校へと進学する場合、那覇に出るとともに一家全員で職を求めて移住することもあった。また帰島しようとしても働き場がない状態であった。他方、復帰後の観光ブームで八重山でも観光客が増え始め、この機に経済開発を一気に進めたいとの空気が郡全体に広がり、経済振興のために、本土大都市への直行便就航が強く期待されるようになった。八重山でとれた魚介類や果物などの市場への移送や観光客の移動も那覇を経由して行わずに済むと考えたのである。燃料補給せずに直接飛べる大型機の就航が必要であり、そのためにも大型機が離発着できる滑走路の建設が望まれた。

　県管理の1500m滑走路の旧・石垣空港は島の南側の内陸部、平得集落に隣接していた。1975年4月には騒音と危険性から学校上空の飛行停止の要請とジェット化反対が地元学校から出され、現空港の早期移転要請が出された。

　他方、1974年2月に市はジェット機が就航できる空港建設を県に要請、また、市議会も国、県に対して早期ジェット化を要請し、79年には120人乗りのボーイング737型機が就航した。県は八重山の人々の開発を望む声を受けて、76年には石垣空港基本計画調査を開始、現空港の拡張案や陸上案も含め5案を調査した結果、79年5月に白保集落沖合の海上に2500mの空港を建設する案を決定した。しかし、この案は発表されるまで白保集落には事前に知らされず、了承を得ずに決定してしまったのである。

　発表直後、1979年7月、石垣市長を会長とする「新石垣空港建設促進協議会（促進協）」が結成され、新空港建設場所を白保東海上とすることが全会一致で決まった。この促進協は石垣市、竹富町、与那国町の3市町はじめ、公民館など八重山郡内のほとんどともいえる67の行政機関・団体を網羅していた（上地2013）。なお、公民館というと、一般には地域の施設・建物との

表1　新石垣空港をめぐる30年

第1期　1980年代（1979年5月～1989年4月）
沖縄県は八重山諸島の政治や経済界の空港建設要望を受けて、白保海上案を1979年に決定。白保集落の中でも賛否が分かれる。着工決定後、83年より、県内外、本土、世界からの白保サンゴ礁の重要性を訴える動きが活発となり、89年に白保海上案を断念。
第2期　1990年代（1989年4～2000年2月）
沖縄県は新候補地にカラ岳東案（サンゴ礁埋立）を出すが1990年に太田昌秀新知事当選により凍結。91年より建設候補地に「宮良」「冨崎野」の内陸案が浮上、宮良公民館反対決議。その後、沖縄県「カラ岳東海上案」「白保陸上案」「宮良牧中案」「現空港拡張案」「冨崎野案」を提示。92年に県「カラ岳陸上案」を表明。その後も宮良案、カラ岳東海上案を巡って反対運動が続く。
第3期　2000年代（2000年2月～2013年3月）
2000年2月に第7回新空港建設位置選定委員会が「カラ岳陸上案」を選定、同年11月、白保公民館、地域振興策16項目を条件として賛成多数で受け入れ決定。その後も賛成、反対運動が続くが、県環境影響評価の手順を重ね、07年5月用地造成工事起工式。13年3月2日開港式典。

注）上地（2013）をもとに筆者が3期にわけて整理した。建設候補地を図2に示す

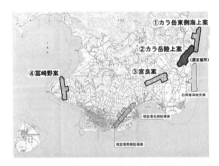

図2　新空港建設候補地の位置図
出典）砂辺、儀間（2012）

イメージが強いが、沖縄ではむしろ古くから続く一定の地域の生活や文化・伝統を守り継承する自治的な役割を担うコミュニティーの組織である。

　この時から、新空港建設を巡って賛成、反対をめぐる厳しい対立の歴史が始まった。筆者の視点からこの30年を3期にわけて表1に示す。

　寝耳に水ともいえる空港建設決定に対して、決定発表直後の1979年7月には白保公民館臨時総会が開かれるが、賛否が対立し、結論は持ちこされた。こうした中、有志により「白保地区新石垣空港建設を考える会」が発足、12月には市議会に白保海上案撤回を

陳情した。同月には白保公民館総会で、新空港建設反対が全会一致で議決された。

　1980年には「新石垣空港建設阻止委員会（阻止委）」が結成される一方で、81年には「新石垣空港建設白保地区有志会」が結成されるなど、住民間でも賛成・反対の対立が生じた。

　海の埋立の手順として当時は、その海で漁をする漁業者の漁業権の補償をすれば着工できた。1980年6月、八重山漁協総会で白保海上埋立に賛成多数となり、80年12月には県が運輸省に空港設置許可を申請、82年3月には運輸省が白保海上案を許可した。9月には県が土地収用法を適用し、現地測量を開始。反対住民と警察官が衝突する中、10月には調査を完了した。83年9月には県が新漁業免許を告示し、白保東海岸の漁業権が消滅するとともに、県と八重山漁協で漁業権補償の調印がされた。あとは着工を待つのみとなった。

　1984年1月に白保公民館と阻止委が国に対して反対要請を出す一方、2月には促進協が早期着工要請で上京した。こうした中、84年8月に県は白保の環境調査を開始し、反対住民が阻止行動を行い、9月に県は機動隊を導入、阻止委員長を逮捕、警察、海上保安部の厳戒態勢の中、調査が完了した。

　1984年12月には条件付き賛成派が「白保第一公民館」を結成し、ここから10年近く、1994年6月まで、ひとつの集落に二つの公民館が存在し、同じ行事や祭事を別々に行うという村を二分する深刻な事態となった。前述のように地域の生活や文化・伝統を守る自治組織、公民館が二分し、同じ行事を別々に行うなどということがどれほど苦渋に満ちた状態であったか推察される。

　白保海上案は、遠浅のイノー（礁池）を埋め立てて建設するものであり、建設コストを下げることができる上に、土地を買い上げる必要もなく、漁業者から漁業権を買い取れば、即座に建設が可能であり、海上空港は離発着に伴う環境面での人々に対する負荷も最小限にとどめることができると考えられた。海岸に面した白保集落からはやや北よりに空港が完成し、集落の眼前を旅客機が低空で離発着する予定であった。

　白保集落の人々にとって、目の前の海はいわゆる里海（コモンズの海）であり、そこは村人が食料や建設資材などを手に入れる場、祈りの場でもあ

12

る。そこに空港が建設される。健全なイノーは、無償で人々に様々な益（生態系サービス）を与え続けてくれる。そのイノーを、先祖が守り、またイノーによって人々は守られてきた。そうした命を支えるイノーが埋め立てられていく（家中2001）。

　その深刻さに気付いた白保の住民だけでなく、地元石垣島の教員を中心に1983年7月「空港問題を考える市民の会」が、また白保出身の沖縄の大学研究者などが12月に結成した「沖縄—八重山—白保の海と暮らしを守る会」が反対運動を展開しはじめた。さらに同月に東京で「八重山—白保の海を守る会」が結成された。

　1983年7月に那覇で行われた反対集会で、沖縄の海を調査した米海洋学者が、白保のサンゴ礁のすばらしさ、生態系としての価値を語ったことが、反対運動を石垣島から本島、本島から東京、世界へと一気に広げることになった。それまでイノーは当たり前の生活の場として体験されていたが、生態学的な価値について部外者から突然、教えられることになった。

　大規模開発事業にあたっては、現在なら環境影響評価が必須となる。しかし、国の「環境影響評価法（アセス法）」が制定されたのは1997年のことである。沖縄では1993年に「沖縄県環境影響評価規定」が、2001年に「沖縄県環境影響評価条例」が施行された。しかし新空港建設問題はそれ以前の時代であるから、1980年代の白保集落地先の新空港建設を巡っては、県レベルの合意形成ができていれば環境への影響を考慮することなく開発が着工できたのである。

　八重山列島全体を見れば、新空港建設は経済発展にとって欠かせない。美しい海を資源とした観光産業、漁業、そして果樹を中心とする農業と、どの島にとっても消費地への直行便は経済発展に欠かせない。ひいては労働の場が拡大し、安定した生活につながる。その点で反対する理由は見当たらなかっただろう。人口5万人近い石垣島全体にとっても、人口1600人の白保地先の開発は大きく期待されていた。白保の中でも建設業に携わる人々にとっては空港建設は好機である。多数決の論理から言えば、計画を覆すことは不可能に見えた。

　そうした中、科学者やジャーナリストが白保の地先の南北約10km、最大

幅約1kmにわたるサンゴ礁生態系の価値の高さに着目し、北半球最大とされるアオサンゴ群を含め120種以上のサンゴが存在するサンゴ礁の保全の重要性を社会に知らせ、県レベルを越える国レベル、世界レベルの世論に訴えた。国際的なNPOもサンゴ生態系に科学的な関心を寄せ、その結果、1987年8月に環境庁（現・環境省）は県に計画の変更を求め、県は1989年に白保埋め立て案を撤回することになった。

　白保地先の海上埋立案は撤回されたものの、建設地を巡っては地元農民の反対や、生態系保全の観点から二転三転し、1999年に候補地を決めるため、地元中心の建設位置選定委員会が設置され、最終的に2000年4月に白保集落の北に位置するカラ岳陸上案が決定され、それによってサンゴ礁の埋立は回避されることになった。県が白保集落沖合に2500mの空港を建設する計画を初めて発表した1979年から実に20年が経過していた。

　このカラ岳陸上案が決定してからは一気に建設の方向に動き出す。環境影響評価準備書が2004年に公告・縦覧されるとともに、同年暮れには新石垣空港整備に関する国の予算が内示された。石垣市議会、県議会、竹富町、与那国町の議会が相次いで早期建設の要請決議を出した。そして2006年10月に新石垣空港が起工、7年後の2013年3月に開港した。

4．サンゴ礁保護と持続可能な集落形成

　白保の空港建設問題とその後を考えるうえで、WWFジャパン（東京）が集落内に設置した「しらほサンゴ村」の存在抜きでは考えられない（WWFJ HP）。1600人程度の小集落に世界レベルのNGOであるWWFの日本組織であるWWFJが関わったことは、白保のケースがローカル・ルールと社会変容を含めた、順応的管理（自然や社会の変動も含めた生態系の管理）のモデル的なケースであると筆者は考えている。

　1971年設立のWWFJは当初より南西諸島の自然保護活動を行い、1985年から白保のサンゴ礁の学術調査の支援で関わり始めた。1993年には、WWFが沖縄県知事にサンゴ礁保護のための研究センター設置への協力を要請し、7年後の2000年に「サンゴ礁保護研究センター」が開設された。

しらほサンゴ村ができた当初は、あくまでもサンゴ礁の調査研究活動として、生物多様性調査やサンゴ礁調査、陸域からの赤土の海域への影響等、サンゴ礁を保全するという観点から調査活動を継続し、また空港建設にともなう生態系に関する科学的な情報を提供するとしていた。

しかし、農地からの赤土流出が大きな影響をサンゴ礁にもたらすものであり、その保全のためには陸域での活動のありかたを変えていく必要がある。

2004年にセンター職員に就いた上村はその前から「地域の関係主体間の十分なコンセンサスを得たうえで、社会・経済、精神・文化、自然・環境など地域固有の特性に応じた保全・活用・発展に統合的に取り組んでいくことが必要である」と考えて、持続可能な地域づくりの実践のために職員となり白保集落に移り住み、2016年まで12年間取り組んだ（上村2017）。

そのような地域づくりを目指すしらほサンゴ村の考え方が自然に受け入れられたわけではない。

前述のように、地域自治の中核を担うのはあくまでも白保公民館であり、白保地区の居住者全員が会員となって、環境美化、祭事・神事の運営、福祉増進などに取り組む。白保公民館は地域自治を進めるうえで強い権限と影響力を持つ。前述のようにそのような公民館が集落内の意見対立から二分するという苦難の期間（1985-1995）も経験した。

空港建設問題で分裂した地域をまとめるため、また移住者の増加や生活の近代化が進む中で、伝統文化やコミュニティーの維持継承を進めるために憲章作りが進められた。

当初は、2004年に石垣市の「離島・過疎ふるさとづくり支援事業」の一環として実施され、小中学生の作文やアンケート調査、座談会などを経て、1年で制定するところであった。しかし、公民館総会での審議を経ずに石垣市の事業によってまとめられたことや、憲章検討を担当する班に島外移住者、県外移住者が入っていたことなどから批判がでて、憲章制定が見送られた。その後、2005年には、公民館から白保村憲章策定作業を改めて正式に付託され、座談会や協議を重ね、「ゆらてぃく白保村づくり宣言（仮称）」を取りまとめ、2008年白保公民館総会で、白保の人々の精神的・文化的な未来に継承すべき村の姿、村づくりの目標と具体的な施策を書いた「白保村ゆらてぃく

憲章」として正式に制定された。同時に2007には、白保公民館附属機関として、憲章の普及・推進を図るため、白保村ゆらてぃく憲章推進委員会を設置、運営委員として13名が任命された。

なお、「ゆらてぃく」とは「『寄ってらっしゃい』『ともに集おう』など、歓迎の意や村人の和を表す」意と同憲章に記している。

また、2005年に、住民の中から海域や漁業資源の利用についてのルールや組織作りの必要性が指摘されたことをきっかけとして、白保の有志により白保サンゴ礁の保全と持続的な利用による地域振興を目指したあらゆる分野の住民代表からなる組織「白保魚湧く海保全協議会」が設立された（白保魚湧く海保全協議会HP）。伝統的なサンゴ礁の利用形態を維持・発展、白保周辺の自然環境・生活環境の保全と再生、持続的な資源管理を目指し、海域利用の際の自主ルールづくり、・普及、啓発活動、・情報の収集及び提供、・調査、研究、・共同事業の実施、・研究会、講習会などの事業を展開する。

これについても、当初は白保集落内で、空港反対運動の組織作りではないかとの憶測も飛び交ったが、政治的活動をするものではないとの一文を協議会の規約に入れることで、白保公民館にも認められて、設立となった（上村2017）。この協議会の事務局としてしらほサンゴ村職員が入ることで話し合いが重ねられた。

公民館の総意として制定し、総意として事業を実施する。意思決定のプロセスを確実に踏むことで、白保公民館総会での議決を経て村の総意として憲章が正式に制定された。また協議会で海域利用の際の自主ルールづくり、すなわちサンゴ礁観光事業者の自主ルール、観光マナー、研究者ルールの策定が進められた。

白保を超える大きな広がりとして、内外の研究者や行政の努力があって、2007年8月西表石垣国立公園が設定された（図4）。国立公園に含まれる石垣島と西表島の間に広がるサンゴ礁の海域は、日本で最大規模のサンゴ礁域「石西礁湖」である。公園設定の際、海中公園地区として、白保（311.6ha）も選定された。協議会がその保全を進めている白保サンゴ礁海域のおよそ3分の1にあたる海域が海中公園地区に指定された。まさに、サンゴ礁を埋め立てて建設することが予定されたその場所が、海域公園として保全されるこ

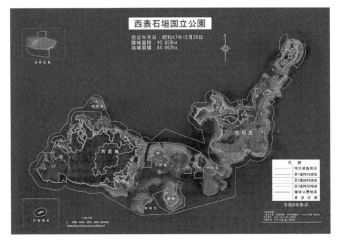
図3　西表石垣国立公園の区域と海域公園地区の位置
出典）環境省石垣自然保護官事務所

とになったのである（図3）。

　以上のように公民館を最終決定機関として、憲章やルールが定められ、また複数の組織が立ち上がることで、相互に連携しながら白保の海の保全と地域づくりが進められてきた。

　しらほサンゴ村の視点からみれば、しらほサンゴ村が地域の人々によって運営され、地域の人々によってサンゴ礁が護られる地域づくりを、当初より最終ゴールとしてめざしていた（上村2016）。

　小中学校の児童生徒によるサンゴの観察調査や、白保の歴史・文化の調査などの環境学習。また、伝統の「垣（カチ）」（石積みの原始的な漁具）の再建をしたり、農地周辺の赤土流出防止のために換金できるイトバショウや月桃を植えたり、白保の景観を取り戻すべく、小学校のブロック塀を石垣塀に変えるなど、住民自らが参加し体験することを通じて、地域づくりが自らのものとなるような機会を提供してきた。

　そうした諸活動を重ねて、それらの活動をNPO法人「夏花」に移し、また「しらほサンゴ村」の建物そのものを白保公民館に移譲した。

この白保サンゴ村を運営するNPO法人夏花は、これまでの白保サンゴ村の諸活動を引き継いで地域の永続的な保全と発展を目指すとともに、地元資源を生かした製品開発や、日曜市を通じた地元資源活用による経済活性に加え、沖縄内外の学校や本土の大学に対して、環境教育や環境学習の場を提供し、未来世代の育成にも努めている。

5．おわりに

白保の集落には、その「魚湧く海」を求めて、近年、多くの民宿やダイビングなどの事業者が島外から移り住み、事業を行うようになってきた。集落の景色も、屋敷地とその周りの道、区割りは変わらないものの、1970年代のようなフクギに囲まれた赤瓦の家は減り、コンクリート造りの家が一般的になってきている。

そうした中でも、集落の中には先祖が残した井戸などの史跡や御嶽があり、祭事や行事などが大切に受け継がれている。明和の大津波によって大半の村人が命を落とした記憶は間違いなく今も言い伝えられている。

かつて誰もがサンゴ礁から食を得、涼み、祈り、歌う、そうした日常が村人の体験としてあった。白保のサンゴ礁が空港建設で消えようとしたとき、自然保護活動をする島内外、国内外の人々が白保のサンゴ礁の価値を訴えることで、昔から変わることのないサンゴ礁と村人の一体のありかた、体験が「魚湧く海」として言葉として共有され、取り戻された。学者たちからは「里海」「コモンズ」「サンゴ礁文化」として概念が生成し、集落の人々自身が、再認識した。

八重山列島全体の受益と白保の受苦、また、どの地域も自分のところに巨大空港が来れば反対するNIMBYとしてのありかた。環境影響評価も制度化されていない時代にあって、八重山全体の合意によって、漁業権さえ買い上げればそこに埋立が可能となる国の制度のありかた。

建設推進の力と自然保全の力がぶつかり苦悩しあいながら最終的には環境を保全しつつ経済も発展させる持続可能なありかたに着陸した。

白保のサンゴ礁が生態学的な世界的価値を有し、またそれが外部から見出

されたこと。外部の自然保護団体が研究センターを作り、科学的に調査・モニタリングし、社会・経済・文化を含めた持続可能な保全のあり方を集落全体が内部化するプロセスを設計し、センターが村に溶け込みながら支えてきたこと。村のことは村人全員の合意で守り育てる、そうした自治組織・公民館が存在し、一つとなってサンゴ礁と集落活動の関係を再構築しなおしたこと。何よりも、サンゴ礁が恵みを与え続け、日常のものとして誰もが体験し、その体験が消えることなく続いてきたこと。

そのどれが欠けても今の白保集落はないだろう。「サンゴ礁こそがこの集落を護った」という言葉は誇張ではないだろう。

白保集落の空港建設問題や白保の文化、社会、自然について、またセンターの活動について、おびただしい論文や報告書、サイトが存在する。この拙文は多くの人々が書き重ねてきた知の上に、屋上屋を重ねるだけに終わってしまっただけのようにも思われる。

緑の静かな集落、浜辺、サンゴ礁。白保の集落はまるで何事もなかったかのように今日もある。まずは、この拙文を読んでくださった方々が、自身で白保を訪れ、浜辺で遠くに波立つリーフを眺め、村人と会話し、その時間の流れに、また空気に触れて、感じて頂ければと願う。その空気感そのものが、集落とサンゴ礁の存在の動かしがたい重みを感じさせてくれるだろう。

注

特定非営利活動法人夏花（なつばな）https://natsupana.com/
〒907-0242　沖縄県石垣市白保118　しらほサンゴ村内　TEL：0980-87-0302

表2　新石垣空港建設をめぐる歴史

1943年6月	地元沖縄県八重山郡が、旧日本軍海軍飛行場を誘致・平得飛行場として建設
1956年6月	沖縄旅行社が台湾CAT航空社機をチャータして運航開始（週2便）
1959年10月	琉球航空社がDC-3型機で運航開始
1961年8月	石垣飛行場としてエプロンをコンクリート舗装、ターミナルビルが完成
1964年7月	エアーアメリカがC-46型機とビーチクラフト機で運航

I 石垣島白保集落を歩く 19

1967年7月	南西航空（株）がエアーアメリカに代わってCV-240型機で定期便を運航開始
1968年6月	南西航空（株）YS-11型機初就航（1番機　ゆうな）
1972年5月	本土復帰、石垣市管理から沖縄県管理へ移行
1975年5月	第3種石垣空港として供用開始官報告示（昭和50年運輸省告示第210号）
1979年5月	ボーイング737型機就航
1979年3月	沖縄県は白保集落の沖合に2,500mの新空港建設計画を発表
1979年12月	白保公民館総会全会一致で反対決議
1982年3月	運輸省、白保地先で新空港の設置許可、事業着手
1982年8月	南西航空（株）ボーインク737-200（120席）が滑走路をオーバーランし、炎上
1983年9月	機動隊が入り測量調査開始、八重山漁協への漁業補償成立。県知事の公有水面埋立免許を待つのみ
1983年12月	「八重山・白保の海を守る会」結成　地元住民を自然保護団体、研究者などが支援
1984年12月	白保公民館が分裂
1985年	WWFジャパン、白保の海の保全に取り組む
1987年	IUCN（国際自然保護連合）が調査。アオサンゴ群落は北半球最大、学術的にみて貴重
1987年8月	環境庁が県に計画の変更を求める
1988年2月	「八重山・白保の海を守る会」、IUCN総会で危機を訴える
1989年4月	県、白保埋め立て案を撤回。カラ岳東側案への建設位置の変更を発表
1989年11月	「八重山・白保の海を守る会」が『Nature』、『The New York Times』に意見広告
1990年12月	沖縄県知事・大田昌秀、複数の立地案を住民や専門家に示す
1991年2月	新石垣空港建設行政連絡会議、新石垣空港建設位置検討委員会、新石垣空港建設対策協議会で各候補地の再検討（～1992年11月）
1992年11月	白保から離れた島内陸部の農業地帯である宮良牧中に建設する案が選定されたが地元農民の反対で頓挫
1992年3月	WWF総裁エジンバラ公白保訪問
1993年	WWFが沖縄県知事にサンゴ礁の保全センター設置への協力を要請

1993年7月	南西航空がジャパントランスオーシャン航空へ社名変更、石垣——東京直行便開設
1994年6月	白保第一公民館解散
1998年4月	稲嶺惠一沖縄県知事、再度複数の立地案の中から候補地を決めることとなった
1999年6月	新石垣空港建設位置選定員会の設置
2000年4月	位置選定委員会、カラ岳東側案、宮良牧中案などの候補地の中からカラ岳陸上案を選定
2000年4月	WWFジャパン、WWFサンゴ礁保護研究センター「しらほサンゴ村」を設立
2000年9月	新石垣空港建設位置地元調整会議での審議（～2001年5月）
2000年12月	新石垣空港環境検討委員会を設置。WWFJは沖縄県の要請を受け委員参加。赤土堆積状況やサンゴ礁生態系等の独自のモニタリング調査開始し委員会へ提言
2002年3月	石垣市議会、初の全会一致による新石垣空港の早期建設の要請を決議
2002年12月	新石垣空港環境影響評価方法書の公告・縦覧
2003年3月	新石垣空港整備基本計画協議会の設置
2003年4月	県議会「新石垣空港整備事業の早期事業化に関する要請」を全会一致で決議
2004年3月	石垣市・竹富町・与那国町の議会、全会一致で新石垣空港の早期建設の要請を決議
2004年3月	新石垣空港環境影響評価準備書の公告・縦覧
2004年12月	県議会全会一致で「新石垣空港整備事業の平成17年度の予算化の要請」決議
2004年12月	新石垣空港整備に国の予算が内示
2005年4月	「白保サンゴ礁の保全と利用に関する報告会」にて、WWFJの呼びかけにより、白保地区の住民によるサンゴ礁保全組織「白保魚湧く海保全協議会」が設立
2006年4月	「白保村ゆらてぃく憲章」白保公民館総会で制定
2006年10月	新石垣空港の起工
2007年8月	西表国立公園に石垣島の一部が編入されて西表石垣国立公園となり、白保地区は海中公園地区に指定

2007年2月	「白保村ゆらてぃく憲章推進員会」設立
2009年6月	空港建設工事現場から大量の赤土が海へ流出
2009年9月	カラ岳の切削工事が着手
2010年2月	新空港建設地内に白保竿根田原洞穴遺跡を発見
2010年3月	用地取得率は99.9%。工事進捗は事業費ベースで約66%
2013年3月	新石垣空港開港
2013年5月	白保地域のNPO法人「夏花」が設立、WWFJの白保での活動を段階的に継承
2014年	石垣島の観光客が100万人突破（沖縄県・八重山観光統計）
2015年8月	白保地区サンゴ礁の海の保全利用協定が翁長雄志沖縄県知事の認定を受ける
2021年4月	「しらほサンゴ村」の施設を地元自治組織である白保公民館に譲渡

出典）新石垣空港課HP、石垣市HP、八重山・白保の海を守る会HP

参考文献

石垣市「石垣空港の沿革」（2001年9月13日）
　https://web.archive.org/web/20010913205655/http:/www.city.ishigaki.okinawa.jp/140000/140500/enkaku.htm（20240113閲覧）
上地義男（2023）「新石垣空港物語――八重山郡民30年余の苦悩と闘いの軌跡」八重山毎日新聞社、263頁
上村真仁編（2016）「南西諸島生物多様性保全モデル、石垣島白保地区でのサンゴ礁保全に資する持続可能な地域づくりプロジェクト――地域コミュニティーとの連携・協働の記録――」公益財団法人世界自然保護基金ジャパン、49頁
上村真仁（2017）「伝統的集落における「地域らしさ」の継承方策に関する一考察――「白保村ゆらてぃく憲章」制定プロセスを通じて――」松山大学論集、第29巻第4号287頁-312頁
白保魚湧く海保全協議会
　https://sa-bu.natsupana.com/aboutus/（2023年10月5日閲覧）
新石垣空港課「これまでの経緯」
　https://www.pref.okinawa.jp/shin-ishigaki/newishigaki/koremade/index.html

（2024年 1 月13日閲覧）

砂辺 秀樹、儀間 雅（2012）「新石垣空港整備事業について」『アスファルト』、日本アスファルト協会、55（228）、26-32「図 -4 建設候補地の位置図」

石西礁湖自然再生協議会（2007）「石西礁湖自然再生全体構想」、76頁
　https://www.env.go.jp/nature/saisei/kyougi/sekisei/sekisei_concept.pdf（2023年10月25日閲覧）

八重山・白保の海を守る会「1995年までの活動と今後について」
　http://shiraho35.com/introduce.html（2024年 2 月 5 日参照）

家中茂（2001）「石垣島白保のイノー　新石垣空港建設計画をめぐって」、井上真、宮内泰介編『コモンズの社会学』新曜社

NPO 法人夏花「NPO 活動のしくみ」
　https://natsupana.com/whatwedo/（2023年10月15日閲覧）

II

霞ヶ浦を歩く

淺野敏久

1. 霞ヶ浦を訪れる

　霞ヶ浦は、関東平野の東部に位置する面積220平方キロメートル、日本で2番目に大きい湖である。西浦、北浦、常陸利根川（外浪逆浦を含む）をまとめて霞ヶ浦とよぶ（図1）。流域面積は約2,157平方キロメートルで、流域はほぼ低地か台地で、筑波山周辺のみが山地である。水深は平均4メートルと浅い海跡湖で、昔の入江であった海岸線が今の湖岸の元になっている。湖岸の長さは約252キロメートルで、日本最大の湖である琵琶湖よりも長い。

　この湖岸を含めて「つくば霞ヶ浦りんりんロード」というサイクリングロードが整備されており、琵琶湖を一周する「ビワイチ」や瀬戸内海を渡る「しまなみ海道サイクリングロード」などと並んでナショナルサイクルルートの1つに指定されている[1]。

　本稿では、このサイクリングロードの一部をたどりながら、霞ヶ浦で生じた環境問題と、それに関わりのある場所を見て回る巡検（研究や教育のための現地見学）を行う想定で各所を紹介する。筑波山方面コースの北西端にJR岩瀬駅（水戸線）、霞ヶ浦一周コースの南東部にJR潮来駅（鹿島線）があるが、一般的にサイクリングの出発地点は、JR土浦駅（常磐線）になるだろう。土浦駅は、サイクリングロードの案内において、土浦港とともにゲートウェイに位置づけられており、レンタサイクルやサイクリスト向け施設など設備が充実している（写真1）。自転車で走るだけなら霞ヶ浦一周コース（約130キロメートル）を一日で走りきれるが、途中で見学したり、飲食を楽しん

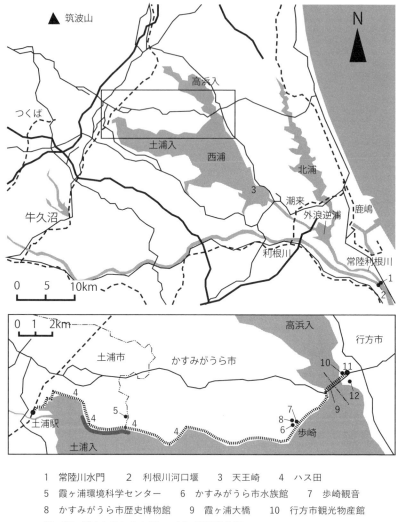

1 常陸川水門　2 利根川河口堰　3 天王崎　4 ハス田
5 霞ヶ浦環境科学センター　6 かすみがうら市水族館　7 歩崎観音
8 かすみがうら市歴史博物館　9 霞ヶ浦大橋　10 行方市観光物産館
11 霞ヶ浦ふれあいらんど　12 高須崎公園
……… つくば霞ヶ浦りんりんロードの一部（本稿のコース）
━━ 田村・沖宿・戸崎地区自然再生事業地
- - - 鉄道　━━ 高速道路　━━ 国道　-・-・- 市界

図1　霞ヶ浦の概況と紹介するルート
出典）筆者作成

写真1　土浦駅にあるりんりんスクウェア
出典）筆者撮影（2018年10月18日）

だりしながらだと途中で引き返すことになる。本稿では、土浦駅（港）を出発して、土浦入の北岸を進み、高浜入の付け根に掛かる霞ヶ浦大橋を渡って霞ヶ浦ふれあいランドに至るまでのルートを紹介する。なお、霞ヶ浦ふれあいランドから自転車で折り返してもよいし、そこで自転車を返却して、バスで土浦駅に戻ることもできる。

2．アオコの思い出

　今から40年以上前に大学生だった筆者は、卒業論文で当時、アオコの大発生が社会問題になっていた霞ヶ浦をフィールドとした。何度か現地に通ううちに、独特なアオコの匂いが頭の中に刻み込まれた。アオコの腐った匂いは「臭い」と文字で読んで知ってはいたが、実際に嗅いでみると他に例えようのない匂いであった。その後、他の地域に行っても水辺に立つ前から、アオコが発生しているとわかるようになった。島根県松江市のJR松江駅に降り立った時、懐かしい（？）匂いがすると思って宍道湖岸まで歩いていった

ら、案の定アオコが発生していた。アオコの大発生で200万人の住民が1週間水道水を使えなくなったという中国の無錫市(太湖)を訪れたときも同じ匂いがした。臭いのだが、私にとっては卒論や修論と結びつく匂いでもある。当時、私は流域内の市民団体が行う「市民の手による水質調査」や「アオコ調査」(写真2)に参与観察を兼ねて加わっていて、アオコの匂いが記憶に刻み込まれてしまったのだろう。霞ヶ浦と山陰の宍道湖・中海での調査を元に博士論文を書いて、本にまとめた(淺野2008)。本稿は、主にそこに書いたことと、その後に何度か現地を訪れた時に仕入れた情報に基づいている。

　アオコ調査時の採水地点の1つが土浦港だった。ここで少し寄り道をして、土浦港を含む霞ヶ浦の歴史について触れておく。霞ヶ浦は6千年ほど前、地球が温暖化し、内陸部まで海水が侵入してできた入江が元になっている。8世紀なかばに書かれた『常陸国風土記』では流海、『万葉集』では浪逆の海とよばれ、平安時代には内の海、鎌倉時代には霞の浦とよばれ、江戸時代になってから霞ヶ浦とよばれるようになった(茨城大学地域総合研究所編1984)。上流から土砂が運ばれ、入江の口が狭まり、湖の姿が形成されていった。特に、江戸の治水工事で利根川の付け替え(利根川東遷)が行なわ

写真2　アオコ調査で採取した土浦港のアオコ
出典)筆者撮影(1987年8月4日)

れると、洪水のたびに土砂が流入し、太平洋から離れていくことになった。

　利根川東遷は江戸の治水のみが目的ではなく、物資の輸送や江戸の防衛のためなど多目的で行なわれた。いくつもの目的があったとされるが、都市史研究者の鈴木（2003）は、治水目的というより、物資の輸送ルートの確保が主目的であったと主張する。東遷事業の目的は、日本海沿岸地方と江戸とを結ぶ東回り廻船航路として、銚子沖廻りではない、那珂湊から内陸河川を通じて江戸とつなぐ安定した航路の確保にあったとされる（鈴木2003、p. 267）。ちなみにこのルートは、那珂湊から涸沼(ひぬま)の海老沢を経て、陸路で北浦に出てから外浪逆浦に出るか、陸路で西浦・高浜入(たかはまいり)に出てから外浪逆浦に出るかし、利根川を遡って関宿(せきやど)に行き、そこから江戸川を下って江戸に出るも

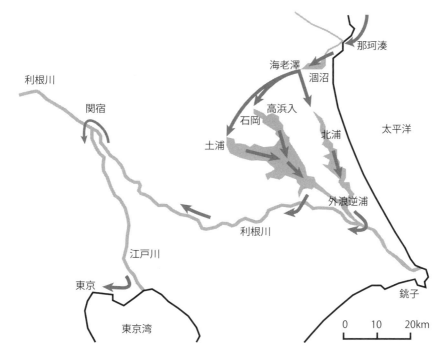

図2　利根川東遷後の東回り物資輸送ルート
注）地名は現在の地名を入れている
出典）鈴木（2003、p. 281、286）などをもとに作成

の（図2）であり、霞ヶ浦は、日本海沿岸のみならず東北や関東地方の物資を輸送する重要な動脈の一部であった。高浜入ではないが、土浦入の最奥部に位置する土浦は城下町でもあり物資の集散地として栄えた。明治になると水上輸送に蒸気船が導入され、鉄道などの陸上輸送に敗れる明治末まで霞ヶ浦水運は大いに賑わった（山本1980）。その後は土浦港に代わって常磐線の土浦駅が霞ヶ浦への玄関口となり、都市の発展を支えてきた。そして近年、サイクリングのターミナルとしての土浦駅・土浦港が注目されている。

アオコから離れてしまったので話を戻すと、霞ヶ浦の歴史の中で大きな意味をもつ出来事として、1968年からの霞ヶ浦開発事業と、それに先立つ1963年完成の常陸川水門（逆水門）の建設をあげることができる。湖は汽水湖から淡水湖に姿を変え、自然に応じてではなく、人為的に水位が管理されるダム湖となったのである。アオコはその転換点で発生した象徴的な存在であった。

3. 富栄養化問題と霞ヶ浦水ガメ化

常陸川水門は、1940、50年代に頻発した海水の逆流による塩害と洪水への対策として建設された。ただし、この水門建設は、その後の水資源開発を視野に入れたものといわれ、水門（写真3）の完成後、すぐに霞ヶ浦開発事業（図3）が始まった。時を同じくして、鹿島や筑波、高浜入での大規模開発事業も動き出した。これらの開発事業に対して鹿島地域の住民や霞ヶ浦の漁業者らが反対の声を上げ、水門閉鎖による漁獲被害への抗議も再々行われた（淺野2008）。そのような中で「1973年の異変」とよばれる出来事が起こった。春から夏にかけてシジミの大量死、養殖コイの斃死、大量のアオコの発生、水道水のカビ臭や湖からの悪臭など、湖の環境悪化が一気に顕在化し、都市住民も飲み水の安全と湖の環境を守る運動に立ち上がった（淺野2008）。

一連の環境変化の発端は、常陸川水門の建設と霞ヶ浦開発事業の開始にあると考えられる。1961年に水資源開発促進法が成立し、翌年に利根川水系の水資源開発基本計画が策定され、利根川水系の水資源開発が本格化した。1963年に竣工した常陸川水門の活用を組み込む形で、第2次利根川水系水資

源基本計画に位置づけられた霞ヶ浦開発事業が1970年に開始された。この事業は常陸川水門の操作と湖岸地の強化・かさ上げにより、湖の総貯水量12.53億立方メートル、有効貯水量6.17億立方メートルを開発し、茨城県、千葉県、東京都への都市用水と農業用水の供給、および洪水貯留を目的としている（水資源協会1996）。そして、1973年に常陸川水門の完全閉鎖が決まり、霞ヶ浦の淡水化が本格的に始まった。霞ヶ浦をダム湖化するこの事業は、霞ヶ浦の水ガメ化といわれるようになった。

　霞ヶ浦の流域には当時80万人近くの人が暮らしており、十分に汚水処理されないまま生活排水が湖に流入していた。また、全国でも有数の農業地帯でもあった霞ヶ浦流域では、畜産排水やハス田からの肥料等の流入、養殖のために湖中に投入されるコイの餌など、湖の微生物にとって栄養になるものも大量に流入していた。それまでは常陸利根川から太平洋に流れていたのだが、水門を閉じたために排水が遅くなり滞留して湖の富栄養化を一気に進め、プランクトンの大発生につながった。

　富栄養化問題とその背景にある水資源開発問題に対して、土浦市や筑波研

写真 3　常陸川水門
常陸川水門を河口側から見る。奥に連なるのは利根川河口堰
出典）筆者撮影（2001年 3 月 7 日）

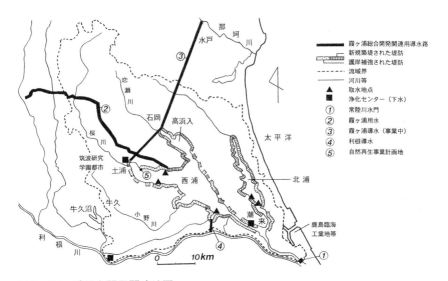

図3　霞ヶ浦総合開発関連地図
出典）淺野（2008）の p. 187図9-1を転載

究学園都市の住民らを中心に環境を守ろうとする運動が生まれた。それまでも、高浜入干拓事業に対する漁民の反対運動や、鹿島開発への農民の反対運動などが行なわれていたが、1973年に鹿島の開発用地が強制収用され、翌年には水資源開発に係る漁業補償が実施されると、湖に関連した運動の担い手は都市住民を中心にしたものになった（淺野1990）。その主たる関心は、霞ヶ浦の水が汚れたことにあり、そのもとをたどれば水資源開発（水ガメ化）に行き着くことから、市民団体は水ガメ化反対を訴えた。「土浦の自然を守る会」や「霞ヶ浦をよくする市民連絡会議」などの市民団体が中心になって、署名を集めたり、県などへ要望書や請願書を提出したりした。

　しかし、一方でこれらの団体は、湖を汚す責任の一端は住民にもあると、自分たちの生活を見直す運動も推し進めた。粉石けん運動や「市民の手による水質調査」など、自分たちで自らの環境を知り、何をすべきかを自ら考えて行動することを志向する運動が行われた（淺野1990）。都市住民の運動は、立ち上げ期には偏見の目でみられた（奥井1983、p. 105）が、1980年代に

なると市民活動への理解が深まり、行政等への発言力ももつようになった。さらに「ボランティア元年」といわれる1995年頃からは市民活動の社会的評価が大きく変わり、協働とかパートナーシップといった視点から、市民活動がとらえられるようになった。

霞ヶ浦流域では、1995年に土浦市・つくば市で開催された第6回世界湖沼会議が転機となって、市民運動は、官民が協調して環境の改善や創造を目指す動きと、根本問題である水資源開発事業を批判していく運動に分かれてしまった（淺野2008）。その後、それぞれが「望ましい湖」像を提示しながら、活発な活動を行った。各団体は法人格をもち組織を強化するとともに、活動も公的な事業を担うことで大きなものになっている。1990年代以降は環境問題の争点は富栄養化に限定されたものではなく、生物多様性、湖岸の自然再生、流域の里山保全、外来種への対応、霞ヶ浦導水事業への反対など、幅広いものになっている。

4．湖岸で見られる環境論争の跡

この章では、はじめに書いた通り、土浦駅から霞ヶ浦ふれあいランドまで、サイクリングロードの一部を走りながら、途中で見ることのできるものを紹介していく。

⑴　堤防かさ上げとサイクリングロード

はじめに、そもそものルートとしているサイクリングロードは、湖岸の堤防上に作られている（写真4）。霞ヶ浦一周コースでは、西浦を一周できるように設定されていて、約130キロメートルの行程になる（北浦一周や常陸川水門往復は含まない）。コースとなっている堤防は、霞ヶ浦総合開発の肝の1つであり、霞ヶ浦の貯水量を増やす上で重要な役割を担っている。そして、この建設が湖岸の生態系を壊したことや、冬に水位を上げ、夏に下げる湖面の水位管理が湖岸の生物多様性を損なっていることなどが指摘されてきた。とはいえ、水位操作に関して議論の対象になるのは常陸川水門であり、現在、堤防を問題視することはほとんどなく、休日ともなればサイクリストら

写真 4　サイクリングロード
出典）筆者撮影（2013年10月13日）

が軽快に走り抜ける場となっている。

(2) ハス田

　土浦港を出発して、しばらく進むと、広大なハス田が現れる（写真 5 ）。茨城県はレンコンの産地として知られており、作付面積1,710ヘクタール（2021年、全国の42％、野菜生産出荷統計）、出荷量22,200トン（2021年、全国の51％）とともに全国 1 位である。県内の主たる産地は霞ヶ浦流域であり、ハス田は霞ヶ浦の典型的な景観の 1 つとなっている。特に、 7 月から 8 月にかけての花の咲く時期はみごとで、多くのカメラマンがその写真を撮りに訪れる。

　この広大なハス田は、富栄養化が社会問題になっていた時期に、汚濁源の 1 つとして、対策が強く求められる土地でもあった。問題になったのは、ハ

写真5　霞ヶ浦湖岸のハス田
出典）淺野健太撮影（2024年7月13日）

ス田に投入する肥料が湖に垂れ流しになっていることで、適正施肥が強く指導された。図4に示される通り、1980年代の汚濁源として、農地、特にハス田からの窒素とリンの流入は、水産養殖や畜産と並んで1次産業関係のものとして大きな比重を占めていた。

　また、富栄養化とは別の問題だが、レンコンは野鳥による食害被害を受ける。カモ類やバン類がレンコンを齧る（益子ほか2022）ことで、年間3億円ほどの被害が生じている（2021年度、茨城県）[2]。被害を避けるために生産者が田の上に防鳥ネットを張り、そこに野鳥が引っかかって掛かって死に、死体がぶら下がる景色が広がってしまう。レンコン栽培と野鳥との共存を図る防鳥対策は試みられているが、今でも命を落とす野鳥は多い。この問題は、霞ヶ浦がラムサール条約登録を目指す上で避けて通れない課題の1つとなっている。

(3)　コイ養殖施設

　陸地側に広がるハス田から目を湖面に転じると、湖の中にコイ養殖用の施

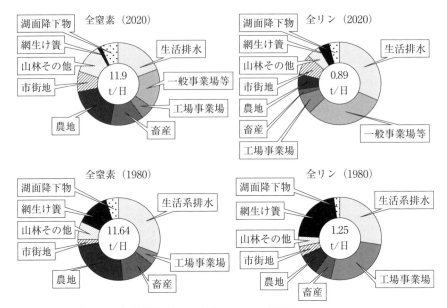

図4　霞ヶ浦の汚濁負荷割合（1980年と2020年の対比）

注) 1980年に生活系排水とされているものは、2020年では生活排水と一般事業場等に分けられている

出典) 1980年のデータは「昭和56年茨城県水質審議会霞ヶ浦部会答申」資料による。2020年のデータは「霞ヶ浦に係る湖沼水質保全計画（第8期）」（令和4年3月）による

設が目に入る（写真6）。湖上に見えているのは設備の一部にすぎず、水中には生け簀が設置され、コイが育てられている。霞ヶ浦でのコイ養殖は1960年代から始まり、1970年代中頃には250経営体、生産量年間7,000トンを超える規模に成長した（山本ほか1979）。常陸川水門が1962年に完成し、淡水化が視野に入ってくる中で、霞ヶ浦の漁業者は網生け簀を使ったコイ養殖を進めるようになった。やがて全国一の生産を誇る産地になっていく。順調に成長を続けていたコイ養殖は、1973年の常陸川水門の完全閉鎖から引き続いてのアオコの大量発生により、コイの大量斃死に見舞われた。その後、1980年代初めまでは生産量は微増する（1982年に8,641トン）が、生産は縮小していった。このように日本一の霞ヶ浦でのコイ養殖は、霞ヶ浦総合開発との結びつ

写真6　霞ヶ浦湖岸のコイ養殖用生け簀
出典）筆者撮影（2023年3月18日）

きが強い。水資源開発による淡水化への対応として養殖業が拡大し、急激な富栄養化に伴うアオコの大量発生に直撃された。

　霞ヶ浦のコイ養殖はその後もたびたび困難に直面してきた。2003年に発生したコイヘルペスウイルス病の発生により2009年まで生産が休止された。この間に廃業する生産者が少なからずいたという。2009年に生産が再開されたが、2011年の福島原発事故により、出荷制限の対象にはならなかったものの、出鼻をくじかれた形になってしまった。現在は、コイヘルペス前の水準には遠く及ばないとはいえ、年間1,000トン前後の収穫量を上げるようになり、全国一の産地に返り咲いている（茨城県2022）。

　コイやワカサギ、ナマズ、川エビなど、霞ヶ浦の魚を食べられる店が、湖周辺に何軒かあるので、霞ヶ浦周遊のついでに立ち寄ってみるのもよいだろう。

(4)　自然再生事業地と茨城県霞ヶ浦環境科学センター

　ハス田の広がる土浦入北岸を進むと、サイクリングロードに沿って湖岸に

写真7　自然再生事業地
出典）筆者撮影（2023年3月18日）

　ヨシやオギなどが広く生えている場所に出る。数十メートル沖には湖岸と並行して消波堤が作られ、「自然」再生の名のもとに人工的な景観が生み出されている。湖岸の全長と比べればごくわずかの区間ではあるが、それでも3.5キロメートルほどの湖岸の植生帯が形成されている（写真7）。

　ここは、自然再生推進法に基づいて整備された自然再生事業地（霞ヶ浦田村・沖宿・戸崎地区自然再生事業）である。全体を9つの区間に分け、それぞれ異なる手法で湖岸植生の回復が試みられている。例えば、B区間では「既存堤防を一部開削することにより、浅水域、静水域、深場を持つ湾入部などの湖岸環境を整備する」、I区間では「消波施設（島堤）により浅場を整備し、多様な水際、植生を再生する」などとされている[3]。2004年に自然再生協議会が設置され、研究者や行政担当者、市民団体、土地改良区、漁協、町内会、個人などによる協議に基づいて事業が進められた。自然再生に対する考え方や事業の進め方などへの意見の違いから退会した団体や個人もあったが、2023年現在でも協議会は継続され、協議内容や活動報告は毎年公開されている[4]。消波堤設置や浅場・深場の造成など土木工事は終わっており、

写真8　霞ヶ浦環境科学センター
出典）筆者撮影（2013年10月13日）

自然の再生状況などのモニタリングや環境管理が中心になっている。自然再生事業地への外来植物の侵入も顕著で、湖岸の環境管理をいかに行なうかが課題になっている。また、事業地をサステナブルに利用することも模索されている。

　自然再生事業地の東端の台地上（湖岸に沿って数百メートルの幅で低地が広がった先は台地になっている）に、茨城県霞ヶ浦環境科学センターがある（写真8）。この施設は、1995年に霞ヶ浦で開催された第6回世界湖沼会議において設置が提唱され、それまで富栄養化問題等を担当してきた茨城県の霞ヶ浦対策課を改組し、行政機能を県庁のある水戸市から霞ヶ浦を見渡せる場所に移すとともに、県公害研究所の機能を取り込みつつ、霞ヶ浦問題に関わる市民活動の交流拠点になることを期待されて建設された（2005年開館）。展示室も併設され、霞ヶ浦の生物や歴史・文化、水資源開発などの流域情報の展示が充実している。各種講座やシンポジウムなどの行事や、小中高の環境学習などが活発に行われている。ここは2018年の第17回世界湖沼会議の会場の1つにもなった。霞ヶ浦について学びたい人にとって、ぜひ訪れたい場所である。

⑸　消えたアサザ群生地

　自然再生事業地では湖岸の植生や生態系の回復が試みられ、外来種問題を
はらみつつも、まとまった植生を見ることができる。しかし、一方、湖全体
でいえば湖岸の自然な植生はすっかり失われたといえるかもしれない。
News つくば[5]の2018年8月29日配信の記事に「最後のアサザ群落が消滅
霞ヶ浦　日本最大の生息地」とある（写真9、10）。この場所は行方市富田湖
岸なので、本稿で紹介するルートのさらに先、西浦の東にあたる。かつて湖
水浴場があった天王崎にも近い。この水生植物の生息環境を大きく変えたの
が、1996年から本格実施されている霞ヶ浦の水位操作である。これは霞ヶ浦
開発事業の計画に基づく水位管理で、年間を通じて高い水位を維持すること
が植物の生育に影響していると考えられ、その結果が抽水植物帯の面積変化
に如実に現れている（西廣2012）。

　アサザをはじめとする水生植物を守り、増やすことで、湖岸を洗う波の力
を弱めて、湖岸の生態系を復活させようという試みを、流域の小学校や市民
を巻き込みながら行なっていた市民団体に「NPO 法人アサザ基金」（以下ア
サザ基金）がある。

　先に第6回世界湖沼会議の際に霞ヶ浦の環境運動が分かれたと書いたが、
アサザ基金は、霞ヶ浦開発事業を問題視する運動[6]を重んじた「霞ヶ浦・北
浦をよくする市民連絡会議」の一事業部門「アサザプロジェクト」を担う形
で生まれた団体である。

　アサザプロジェクトは、誰もが参加できる流域の自然再生事業をめざし、
流域の170校以上の小学校の参加をはじめ、農林水産関係者や企業、行政を
巻き込みながら進められた（淺野2008）。100年後にトキが棲息できる自然の
再生をめざし、まずはアサザに焦点をあてた水辺の植生復元を試みた。小学
生らによるアサザ苗の育成や学校ビオトープの建設、出前授業、アサザを植
え付ける場所を確保するための間伐材を用いた消波堤（粗朶沈床）の作製・
設置、粗朶を確保するための里山保全活動など、流域内の人やモノ、場所を
広く有機的に結びつけることを意識した事業が行われた。その他にも、外来
魚駆除と地域産業を組み合わせる魚粉事業を行ったり、企業と協働した谷津
田の再生や米づくり・酒づくりなどを行ったりしている。これらの中には、

写真9　最後まで残っていたアサザ群落
行方市富田湖岸は今回紹介のルートの先にあるが自転車なら土浦駅から日帰りでの往復は十分可能である
出典）筆者撮影（2011年10月2日）

写真10　アサザ
出典）筆者撮影（2011年10月2日）

福島原発事故や常陸川水門の水位操作などによって止まってしまったものも
あるが、限られた人員でその時にできることを行い、現在は複数の大手企業
や地場産業、大学の研究室などと連携した流域各所での水源地（谷津田）の
自然再生や古民家の活用、農業の継承など多彩な活動を行っている[7]。これ
らの活動地は今回のルートとは離れているので、今回とは別の切り口からの
霞ヶ浦北西部巡検を企画することをお勧めする。

(6) 湖の外来魚

　霞ヶ浦環境科学センターをすぎると、かすみがうら市に入る。ハス田を見
ながら湖岸を進むと、サイクリング拠点施設の1つであるかすみがうら市交
流センターに到着する（写真11）。このあたりは歩崎と呼ばれ、歩崎観音、
展望台、歴史博物館、水族館など立ち寄りスポットがまとまっている。かつ
ては湖水浴場として知られていたが、アオコ大発生の翌年1974年に閉鎖され
た。サイクリング施設に隣接してかすみがうら市水族館があり、霞ヶ浦に生
息する魚介類等が飼育・展示されている。アオウオなどの大きな淡水魚も展
示されていて、湖の中にこんなに大きな魚がいるのかと驚かされる。台地に
登ると由緒のある歩崎観音があり、ここの展望台からの湖の景色はすばらし
い。また、かすみがうら市歴史博物館は、城を模した建物であり、館内に
は、帆引き船の大きな模型（3分の2スケール）や漁具類、民俗資料、考
古・歴史資料などが展示され、外に出ると実物の帆引き船が展示されてい
る。霞ヶ浦の漁業の歴史を学ぶのによい施設である。
　話を水族館に戻すと、ここには霞ヶ浦に生息している魚介類が展示されて
いる。ワカサギやタナゴ、ウナギ、コイ、ギンブナ、ゲンゴロウブナ、ナマ
ズ、ソウギョ、ブラックバス、ブルーギル、ティラピア、チャネルキャット
フィッシュ（アメリカナマズ）、アオウオ、ハクレン、コクレン、ダントウボ
ウ（写真12）などがいる。湖にどのような魚介類がいるのかを知る上で、こ
の施設の見学は外せない。
　霞ヶ浦で漁獲される魚類は、2020年度の漁獲量で、前述の養殖コイが812
トン（全国1位）、ワカサギが73トン（同4位）、シラウオが187トン（同2
位）、エビ類が87トン（同1位）となっているが、漁獲量は減る一方である

Ⅱ　霞ケ浦を歩く　41

写真11　かすみがうら市水族館
出典）筆者撮影（2023年3月18日）

写真12　ダントウボウ
出典）筆者撮影（2023年3月18日、かすみがうら市水族館内）

（茨城県2022）。ワカサギの減少の一因に夏の高水温があると考えられており、地球温暖化の影響はこのようなところにも現れている。

　また、水族館で展示されている魚介類の中には、食用とするため、あるいは釣りの対象とするために移入された外来種も多い。これらの外来種は、20世紀の終わり頃から急に増え、外来種が生態系を損なうと問題になった。ただし、外来魚は特定の魚種が増え続けて、ずっと優勢を保つわけではなく、注目される魚が少しずつ変わっていく。今や数年に一度くらいの頻度でしか霞ヶ浦を訪れない私は、訪れるたびに問題視されている外来魚の種類が違うので戸惑ってしまう。直近では、以前は名前を聞くことのなかったダントウボウが増えているとのことである[8]（萩原2017）。一方で、バス釣りの聖地とまでいわれた霞ヶ浦のブラックバスは激減しているらしい[9]。

⑺　中止になった高浜入干拓

　歩崎を経て田伏まで出ると湖の対岸が見える。ここには1キロメートルほどの長さの霞ヶ浦大橋が掛かり、ショートカットするならこの橋を渡ると行方市の観光物産館にたどり着く。橋を渡らずに湖を約40キロメートル走れば同じ場所に出られる。橋を渡ったとしても、湖岸を走ったとしても、片手側に見えるのは霞ヶ浦（西浦）北部に位置する高浜入である。行方市からは筑波山が湖面の向こうに見え、絵になる景色となっている（写真13）。しかし、風光明媚なこの場所は約半世紀前には干拓され消えゆく運命にあった。

　食糧増産が戦後農政の課題となる中で、各地の浅い湖沼や干潟などを干拓し、農地（水田）を大規模に開発する事業が計画された。秋田の八郎潟や、鳥取・島根県の中海・宍道湖、岡山県の児島湾、長崎県の諫早湾など、国営事業として一連の干拓事業が計画された。高浜入干拓事業は、それらの1つで、1960年から調査が始まり、1967年に国営事業に認定された。面積が約1,500ヘクタールに及ぶ大規模干拓事業であった。関係する漁業協同組合との交渉が進み、補償金が支払われ高浜入での漁業権は放棄された。しかし、それをよしとしない漁業者らは、高浜入干拓事業に強く反対し、高浜入干拓建設事務所への討ち入りを含む激しい抵抗をみせた（山口1975）。アオコの大量発生を機に霞ヶ浦開発事業に反対する市民運動が生まれ、それらが

高浜入干拓反対運動と連携して事業に批判的な声が高まったことや、減反政策への転換により大規模農地造成の意味が失われたこと、霞ヶ浦開発事業による水資源開発の重要性が増したこと（浅い湖である霞ヶ浦では高浜入を水域としておく方が貯水量を多く確保できる）などにより、1978年に干拓事業は中止になった。干拓事業のために支払われた漁業補償金は、水資源開発事業のための補償金として引き継がれた（水資源協会1996）。中海干拓事業や諫早湾干拓事業などが社会問題化する中で、一度始めた公共事業を止める仕組みがないと、反対運動団体やマスコミなどは批判したが、代わりの公共事業があるならば干拓事業は止まることをこの事例は示している。

　霞ヶ浦大橋を渡りきると、行方市の行方市観光物産館や、道の駅たまつくり、霞ヶ浦ふれあいランドが立地するエリアに到着する（写真14）。霞ヶ浦ふれあいランドは、もともとは水資源開発公団（現・水資源機構）が霞ヶ浦開発事業をPRするために、茨城県と玉造町（現・行方市）と共同で建設した施設で、周囲を見渡せる展望塔や水の科学館などを有する「水」をテーマにした複合施設であった。霞ヶ浦では、水資源開発に疑問を呈する市民活動

写真13　高浜入と筑波山（ふれあいランドの虹の塔より）
出典）筆者撮影（2023年3月19日）

写真14　行方市観光物産館とふれあいランド・虹の塔
出典）筆者撮影（2023年3月19日）

が盛んで、それに対抗するために、広報や地元への利益還元に力が入れられた。このような広報施設は反対の声が強いところに建設される傾向があり、長良川の長良川河口堰アクアプラザながらや原子力発電所併設のPR館などと同様である。2011年に水資源機構が運営からの撤退を表明し、実際に一時閉館した時期もあったが、行方市が土地と施設を買い取り、観光交流拠点として再整備することになった（2023年から順次再開）。背景はともかくとして、ここを訪れたら、展望施設である虹の塔には登ってみたい。霞ヶ浦流域はほとんどが低地と台地のために高台から全体を見渡せる場所がないので、360度見渡せる塔の存在は貴重である。高浜入の姿も塔に登るとよく見える。

5.「葦舟世界大会」

　前章で紹介したものは、いつ行っても見ることができる（アサザの群落は失われてしまったが）場所であるが、ここでは年1回開催されるイベントと、それを主催する市民団体の紹介から広げて霞ヶ浦での環境運動の組織の

変遷について述べてみる。

(1) 葦舟世界大会を観戦する

　今回の見学で、アサザの最後の群落があった天王崎まで足を延ばさず、ふれあいランドを最終目的地としたのは、道の駅の道路をはさんだ反対側にある高須崎公園で開催された葦舟世界大会を観戦するためであった。世界大会と銘打つものの、今の段階では、地元での知名度もそこそこなローカルなイベントである。今後、留学生チームや海外からの参加も受け入れていきたい、もしかすると国際的なイベントにまで発展するかもしれないという思いをもって運営されている。この大会は、NPO 法人霞ヶ浦アカデミー（以下、霞ヶ浦アカデミー）が企画・実施しており、コロナ禍真っ最中の 2021 年 3 月に第 1 回目の大会が開催された。

　この大会では、参加者は、グループを作って、自分たちでヨシを刈り、それを束ねて葦舟を作り、その葦舟を自ら漕いで、速さやその性能を競うことなる（写真 15、16）。霞ヶ浦アカデミーのウェブサイト[10]によれば、この大会を企画した背景には、「湖岸の植生帯が危機」にあり、「人と湖のつながりが少なくなっている」という現状認識があり、それをふまえて、植生帯を復活させながら、ヨシを使う文化を創出し、広める仕掛けとして葦舟大会が考案されたのである。

　霞ヶ浦では湖岸のほとんどが人工的な護岸になったために、ヨシ原が大きく減少してしまった。植生帯を守るために消波堤がつくられたところでは植生が回復するも管理が不十分で、外来植物が生えるなど健全な姿になっていない。ヨシ原は生態系を維持する上でも、水質浄化の観点からも重要で、その機能を守るためには定期的にヨシを刈ったり焼いたりする必要がある。望ましいのはヨシを刈ってそれが安定的に利用されることであるが、今の暮らしの中ではヨシを利用することはほとんどなくなり、ヨシの需要を生み出すことがヨシ原の管理のために望まれている。また、ヨシ原や水辺から人の足、特に子どもたちが離れてしまい、水辺への関心が薄まっている。このような問題意識をもって、霞ヶ浦アカデミーでは葦舟づくりのワークショップなどを行なっていたが、それをより大きなイベントにして普及啓発効果を高

めようとしたのが、この大会になっている。

　志には共感するが、行事そのものは、現時点では小規模なもので、地域的な広がりもそれほどない。ただ、参加した数十人の人たちは、雨の中でも一生懸命にヨシを刈り、一心不乱に舟をつくり、まだ肌寒いといえる天候の中でびしょ濡れになりながら舟を漕いでいた。親子連れや、高校生、大学生など若い人たちが、ヨシとともに奮闘し、湖岸には歓声があふれていた。見ているだけでも、それなりに楽しめるイベントであった。琵琶湖で行われる鳥人間コンテストのようには大きくならないだろうと思うけれども、このような取り組みを通じて（この行事1つではなく、いろいろな場所でそれぞれ工夫した取り組みが生まれてくれば）、水辺と人のつながりが豊かになり、湖の社会的意味や生態系の状態も変わっていくだろうと思う。

　なお、「世界大会」を銘打っているけれども、表彰されたタイム上位のチームと、技術的に優れた葦舟を製作したチームに提供された賞品は、「納豆」だった。極めてローカルであった。この垢抜けなさが妙にほほえましかった。

写真15　葦舟世界大会で参加者が作った舟
出典）筆者撮影（2023年3月19日）

Ⅱ　霞ヶ浦を歩く　47

写真16　葦舟世界大会のレースの様子
出典）筆者撮影（2023年3月19日）

(2)　霞ヶ浦の環境保全・環境教育・まちづくりに関わる市民団体

　最後に、霞ヶ浦の環境保全に関わる市民団体について整理しておく。霞ヶ浦の富栄養化問題が顕在化したときに、運動の前面にたったのは土浦の自然を守る会（1972年発足）で、その後、流域的な市民活動を展開するために霞ヶ浦をよくする市民連絡会議がつくられた（1981年）。この2団体が1980年代の霞ヶ浦の環境運動を主導した。1986年に第2回水郷水都全国会議が霞ヶ浦で開催されると、開催を支えた市民団体や個人を束ねる包括的なネットワークとして霞ヶ浦市民センター（のちに霞ヶ浦情報センターに改称）がつくられた。土浦の自然を守る会の活動はこれらの活動の中に包摂されていった。

　1995年に第6回世界湖沼会議が開催されることになると、前述の通り、運動は大きく2つに分かれ、霞ヶ浦をよくする市民連絡会議は霞ヶ浦・北浦をよくする市民連絡会議と名称を変えて、水資源開発を問う運動を進め、そこから生まれた事業を行なう団体としてアサザ基金が生まれた。もう一方の動きは、世界湖沼会議を支えるために組織された世界湖沼会議市民の会と、

霞ヶ浦情報センターをまとめた社団法人霞ヶ浦市民協会を設立（1996年）して進められた。霞ヶ浦市民協会は、世界湖沼会議の「霞ヶ浦宣言」の精神を継承し、霞ヶ浦という風土の中で培ってきた市民の英知を結集し、活動を展開していくことを重んじ、人と霞ヶ浦との共存、豊かな霞ヶ浦の再生、多くの人の参加と交流を活動の柱としている。霞ヶ浦の再生のために、生物多様性のある豊かな生態系を保存し、安心して飲める水、美しい水辺、そして「泳げる霞ヶ浦」を目指して活動している（淺野2008）。

　葦舟世界大会を企画・実施している霞ヶ浦アカデミーは2000年に活動を始め、2008年に認可されたNPO法人である。霞ヶ浦センター（霞ヶ浦情報センター）の代表を務めた人物が立ち上げたNPO法人で、構成メンバーは霞ヶ浦市民協会にも属するものの、霞ヶ浦市民協会とは独立した活動を行っている。霞ヶ浦を中心とした水環境の調査研究を基に、環境保全活動と人材育成に関する事業を行なうことを目的としている。葦舟づくりを通じて環境保全と環境教育を行おうとする活動や、霞ヶ浦のニホンウナギに関する調査を行なうほか、2013年と2018年の水郷水都全国会議[11]の開催に当たって中心的な役割を担うなど、精力的に活動している。

6．霞ヶ浦の環境問題の移りかわり

　以上、論理的な脈略を意識せず、土浦駅・土浦港から霞ヶ浦ふれあいランドまで自転車を使って巡検するという体で、ルートに沿って解説できることを書き連ねてきた。本稿を締めるにあたって、筆者が考える霞ヶ浦の環境問題についてまとめておこう（図5）。

　霞ヶ浦流域では、さまざまな開発が行われ、湖の水質をはじめとして、環境が悪化し問題となってきた。中でも霞ヶ浦開発事業による水資源開発が、霞ヶ浦の環境を考える上で鍵となっている。ただし、霞ヶ浦の環境問題は、1つの現象や出来事が問題にされてきたわけではなく、時期や場所に応じて論点は変化してきた。

　まず、1950年代までは海水の逆流による塩害と洪水が問題になった。それに備えるために常陸川水門が建設されたとされるが、水門は、霞ヶ浦の水資

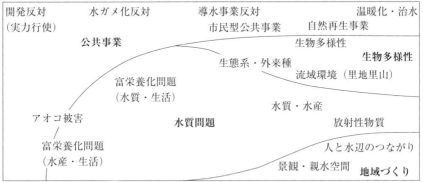

図 5　霞ヶ浦の環境問題変遷図
出典）筆者作成。淺野（2008、p.161）の図に加筆

源開発の要として、霞ヶ浦開発事業を進める上での前提となった。1960年代には、鹿島や筑波、高浜入などで大規模開発事業が動き出し、これらに対して鹿島地区の住民や霞ヶ浦の漁業者らが反対の声を上げた。水門閉鎖による漁獲被害への抗議も再々行われ、60年代後半以降は「反開発・反公害」を訴える運動が展開された。そのような中で「1973年の異変」が起こった。春から夏にかけてシジミの大量死、養殖コイの斃死、大量のアオコの発生、水道水のカビ臭や湖からの悪臭など、さまざまな事件が噴出した。環境問題の焦点は湖の富栄養化問題におかれ、富栄養化の引き金になっている水資源開発の功罪が問われることになった。

　その後、1995年に第6回世界湖沼会議が開催されることになり、市民運動は転機を迎えた。霞ヶ浦での市民運動は、会議開催に向けての準備に取り組む中で、官民が協調して環境の改善や創造を目指すものと、根本問題である水資源開発事業などを批判していくものとに分かれていった。路線の違い

写真17　霞ヶ浦導水・那珂機場（世界湖沼会議のエクスカーション）
出典）筆者撮影（2018年10月17日、水戸市）

は、将来の湖像をいかに描くのか、そのための課題は何かを模索していくことにも反映された。そして、1990年代以降の焦点は富栄養化に限定されたものではなくなり、湖や流域の自然再生や親水空間の創造に関わることに力点が置かれるようになった。公共事業に関して、霞ヶ浦導水事業[12]の是非が問われ、霞ヶ浦流域を超えて那珂川流域とあわせた広域的な環境が意識されるようになった（写真17）。生物多様性の保全が地球環境問題の文脈において問われ、霞ヶ浦でも、湖生態系の再生、水産資源の回復、外来種への対応、湖岸の植生復元、流域の里山保全や自然再生、湖と結びつく循環的な地域産業の構築など、霞ヶ浦をとらえる視点が多岐にわたるようになった。

　霞ヶ浦を見て歩く際に、何気なく見えているモノや場所であっても、事前に学習しておいたり、詳しい人に案内してもらったり、現地を歩きながらインターネットで調べてみたりするなどして、じっくり読み解いていくと、いろいろ興味深いものが見えてくる。

注

1） りんりんロードのウェブサイトによる。

https://www.ringringroad.com

2） 茨城県の「令和3年度茨城県内の野生鳥獣による農作物被害調査の結果について」による。

https://www.pref.ibaraki.jp/nourinsuisan/nokan/katsei/documents/r3_higai_cyouju.pdf

3） 国土交通省霞ヶ浦河川事務所のウェブサイト「霞ヶ浦田村・沖宿・戸崎地区自然再生事業の取り組み」による。

https://www.ktr.mlit.go.jp/ktr_content/content/000711159.pdf

4） 国土交通省霞ヶ浦河川事務所のウェブサイト「霞ヶ浦自然再生協議会」に毎回の協議会資料がアップされている。

https://www.ktr.mlit.go.jp/kasumi/kasumi00045.html

5） つくば市や土浦市などを取材対象としたニュースサイトで、地元新聞社の元社員らが参加して作ったNPO法人がニュースを流している。

6） 世界湖沼会議にあわせて市民による「世界湖沼会議NGOフォーラム」を開催したり、常陸川水門や水位操作の見直しなどを問う要望書を提出したりしている。

7） アサザ基金のウェブサイト参照。http://www.asaza.jp/

8） ダントウボウは中国原産のコイ科の魚で、霞ヶ浦では2009年に確認され、2016、17年ころから急に増え始めた（萩原2017）。

9） ここにURLを上げないが、バス釣りを趣味にしている人たちのブログなどに多数書き込まれている。

10） 霞ヶ浦アカデミーの霞ヶ浦葦船世界大会のウェブサイト参照。

https://k-acad.com/ashifuneworldcup2022/

11） 1984年に第1回目の世界湖沼会議が琵琶湖で開催された際に、参加・協力した市民団体や研究者らが各地の結びつきを維持していこうと年1回集まることにして生まれたのが水郷水都全国会議である（淺野2019）。2018年の集会は茨城県での第17回世界湖沼会議に合わせたものであった。

12） 霞ヶ浦導水事業とは、霞ヶ浦と利根川、那珂川の間を地下の導水管でつなぎ、水資源量の余裕の有無に応じて、水系間で水のやりとりをできるようにする事業で、汚れを薄めるという意味で水質浄化の機能ももっている。霞ヶ浦・

利根川間の利根導水路（約2.6キロメートル）はすでに完成しているものの、利根川の漁協の反対などがあって使われていない。利根川・那珂川間の那珂導水路（約43キロメートル）は現在工事中である。那珂導水路をめぐっては生態系や水産資源への影響を危惧する両流域の漁協が建設差し止め訴訟を起こすなど、反対運動が起きた。2018年に漁協と国が和解したことで建設工事が着々と進んでいる。

参考文献

淺野敏久（1990）：霞ヶ浦をめぐる住民運動に関する考察。地理学評論、63、237-254

淺野敏久（2008）：『宍道湖・中海と霞ヶ浦―環境運動の地理学』古今書院

淺野敏久（2019）：世界湖沼会議と水郷水都全国会議。地理、64（2）、82-92

茨城県（2022）：『霞ヶ浦北浦の水産』

https://www.pref.ibaraki.jp/nourinsuisan/kasui/shinko/documents/kahokusuisan_r4.pdf

茨城大学地域総合研究所編（1984）：『霞ヶ浦―自然・歴史・社会―』古今書院

奥井登美子（1983）：『ある市民運動』筑波書林

鈴木理生（2003）：『図説　江戸・東京の川と水辺の事典』柏書房

西廣淳（2012）：霞ヶ浦における水位操作開始後の抽水植物帯面積の減少。保全生態学研究、17、141-146

萩原富司（2017）：霞ヶ浦で確認された外来魚ダントウボウ（コイ目コイ科）の採集記録。伊豆沼・内沼研究報告、11、75-81

益子美由希・山口恭弘・吉田保志子（2022）：泥中のレンコンはカモ類等の食害を受ける。日本鳥学会誌、71、153-169

水資源協会（1996）：『霞ヶ浦開発事業誌』水資源開発公団霞ヶ浦開発事業建設部

山口武秀（1975）：『権力と闘う住民　高浜入干拓反対闘争』柘植書房

山本鉱太郎（1980）：『川蒸気通運丸物語』崙書房

山本正三・田林明・市南文一（1979）霞ヶ浦における養殖漁業の発展。霞ヶ浦地域研究報告、1、55-92